studio [21]

Vokabeltaschenbuch

Deutsch als Fremdsprache

A1

studio [21]
Vokabeltaschenbuch A1
Deutsch als Fremdsprache

Redaktion: Andrea Mackensen (verantwortliche Redakteurin), Dieter Maenner
Bildredaktion: Katharina Hoppe-Brill
Illustrationen: Andrea Naumann, Matthias Pflügner

Gestaltung und technische Umsetzung: zweiband.media, Berlin
Umschlaggestaltung: Klein & Halm Grafikdesign, Berlin

Informationen zum Lehrwerksverbund **studio** [21] finden Sie unter
www.cornelsen.de/studio21.

www.cornelsen.de

2. Auflage, 1. Druck 2015

Alle Drucke dieser Auflage sind inhaltlich unverändert und können im Unterricht
nebeneinander verwendet werden.

Druck: orthdruk, Bialystok
ISBN: 978-3-06-520558-0

Vokabeltaschenbuch

Das **Vokabeltaschenbuch** enthält den Lernwortschatz von Start bis Einheit 12 thematisch geordnet. Damit die Wörter besser im Gedächtnis haften bleiben, werden die meisten Wörter durch ein Bild visualisiert.

Zahlen, grammatische Begriffe, Namen der Personen, Städte und Länder sowie Sprachen sind in der Liste nicht enthalten.

Symbole, Abkürzungen und Konventionen

Die Punkte (.) und die Striche (_) unter den Wörtern zeigen den Wortaktzent:

a̧ = kurzer Vokal

a̱ = langer Vokal

Bei den Nomen finden Sie immer den Artikel und die Pluralform. Bei den Verben wird immer die 3. Pers. Sg. Präsens und ab Lektion 9 die 3. Pers. Sg. Perfekt angegeben.

Wir wünschen Ihnen viel Spaß und Erfolg beim Deutschlernen!

Start auf Deutsch

Internationale Wörter

das **Büro**, die Büros

....

der **Computer**, die Computer

....

der **Euro**, die Euros

....

die **Kasse**, die Kassen

....

das **Konzert**, die Konzerte

....

die **Musik**

....

die **Natur**

....

die **Oper**, die Opern

....

der/ **Pilot/in**, die Piloten/Pilotinnen
die

....

die **Pizza**, die Pizzen

....

das **Restaurant**, die Restaurants

....

der **Supermarkt**, die Supermärkte

....

das **Telefon**, die Telefone

....

der/ **Tourist/in**, die Touristen/Touristinnen
die

....

das **Auto**, die Autos

....

Sich und andere vorstellen

Guten Tag!

....

Hallo

....

sein, ich bin, er/sie ist, Sie sind

....

heißen, er heißt

....

Dagmar Garve
Redakteurin

der **Name**, die Namen

....

Dagmar Garve
Redakteurin

der **Vorname**, die Vornamen

....

Dagmar Garve
Redakteurin

der **Familienname**, die Familiennamen

....

woh<u>e</u>r

....

k<u>o</u>mmen, er kommt

....

<u>au</u>s

....

w<u>ie</u>

....

w<u>e</u>r

....

die **Fr<u>au</u>**, die Frauen

....

der **H<u>e</u>rr**, die Herren/Herrn

....

der/ **L<u>e</u>hrer/in**, die Lehrer/innen
die

....

wo

....

wohnen, er wohnt

....

Das ist ...

....

die **Familie**, die Familien

....

der **Junge**, die Jungen

....

das **Mädchen**, die Mädchen

....

in

....

und

....

<u>au</u>ch

....

Länder

D<u>eu</u>tschland

....

<u>Ö</u>sterreich

....

die **Schw<u>ei</u>z**

....

Weitere Wörter

die **Min<u>u</u>te**, die Minuten

....

Das ist Ali. Er ist 30 Jahre alt und wohnt in Bonn. Er …

der **T<u>e</u>xt**, die Texte

....

Ski fahren, er fährt Ski

. . . .

fliegen, er fliegt

. . . .

noch einmal

. . . .

Getränke

das **Getränk**, die Getränke

....

der **Kaffee**, die Kaffees

....

der **Tee**, die Tees

....

der **Kakao**, die Kakaos

....

das **Wasser**

....

das **Mineralwasser**

....

die **Milch**

....

der **Espresso**, die Espressi/Espresso

....

der **Cappuccino**, die Cappuccini/Cappuccino

....

der **Milchkaffee**, die Milchkaffees

....

der **Latte macchiato**, die Latte macchiato

....

der **Eiskaffee**, die Eiskaffees

....

der **Eistee**, die Eistees

....

der **Saft**, die Säfte

....

der **Orangensaft**, die Orangensäfte

....

der **Apfelsaft**, die Apfelsäfte

....

die **Apfelsaftschorle**, die Apfelsaftschorlen

....

 das **Bier**, die Biere

....

der **Wein**, die Weine

....

 der **Weißwein**, die Weißweine

....

 der **Rotwein**, die Rotweine

....

Etwas bestellen und bezahlen

die **Entschuldigung**, die Entschuldigungen

....

frei

....

ja

....

nein

....

was

....

bestellen, er bestellt

....

etwas

....

gern(e)

....

nehmen, er nimmt

....

mǫchten, er möchte

....

trịnken, er trinkt

....

dạnke

....

bịtte

....

der **Zụcker**

....

o̲hne

....

vie̲l (Eis/...)

....

we̲nig (Eis/...)

....

warm

....

lieber

....

oder

....

noch

....

bezahlen, er bezahlt

....

zahlen, er zahlt

....

der **Preis**, die Preise

....

die **Rechnung**, die Rechnungen

....

getrennt

....

zusammen

....

Auf Wiedersehen!

....

Im Deutschkurs

der **Deutschkurs**, die Deutschkurse

....

klar

....

sammeln, er sammelt

....

sprechen, er spricht

....

üben, er übt

....

Wichtige Telefonnummern

die **Zahl**, die Zahlen

....

die **Nummer**, die Nummern

....

die **Telefonnummer**, die Telefonnummern

....

die **Feuerwehr**

....

der/ **Notarzt/Notärztin**, die Notärzte/
die Notärztinnen

....

die **Polizei**

....

Der Euro

 die **Münze**, die Münzen

....

 der **Schein (Euroschein)**, die Scheine

....

national

....

offiziell

....

alle

....

das **Land**, die Länder

....

gleich

....

Im Deutschkurs

der/ **Kursleiter/in**, die Kursleiter/innen
die

....

der/ **Kursteilnehmer/in**, die Kursteilnehmer/innen
die

....

die **Tafel**, die Tafeln

....

der **Stuhl**, die Stühle

....

das **Buch**, die Bücher

....

das **Wörterbuch**, die Wörterbücher

....

das **Heft**, die Hefte

....

der **Bleistift**, die Bleistifte

der **Radiergummi**, die Radiergummis

der **Kuli**, die Kulis

der **Füller**, die Füller

das **Papier**, die Papiere

die **Lampe**, die Lampen

die **Tasche**, die Taschen

die **CD**, die CDs

das **Handy**, die Handys

....

 das **Foto**, die Fotos

....

 die **Brille**, die Brillen

....

 der **Becher**, die Becher

....

 das **Brötchen**, die Brötchen

....

 das **Haus**, die Häuser

....

 die **Tür**, die Türen

....

 das **Fenster**, die Fenster

....

die **Sch<u>u</u>le**, die Schulen

....

die **P<u>au</u>se**, die Pausen

....

die **H<u>au</u>saufgabe**, die Hausaufgaben

....

Lernen

das **D<u>eu</u>tsch** (auf Deutsch)

....

l<u>e</u>rnen, er lernt

....

h<u>ö</u>ren, er hört

....

l<u>e</u>sen, er liest

....

schr<u>ei</u>ben, er schreibt

....

s<u>a</u>gen, er sagt

....

k<u>ö</u>nnen, er kann

....

wiederh<u>o</u>len, er wiederholt

....

m<u>a</u>chen, er macht

....

die **Fr<u>a</u>ge**, die Fragen

....

w<u>ie</u> bitte?

....

verst<u>e</u>hen, er versteht

....

buchstabieren, er buchstabiert

. . . .

erklären, er erklärt

. . . .

langsam

. . . .

stimmen, es stimmt

. . . .

der **Artikel**, die Artikel

. . . .

der **Satz**, die Sätze

. . . .

das **Wort**, die Wörter

. . . .

der/ **Student/in**, die Studenten/Studentinnen
die

. . . .

studieren, er studiert

....

das **Englisch**

....

die **Universität (Uni)**, die Universitäten

....

Spaß machen, es macht Spaß

....

Persönliches

die **Heimat**

....

der/ **Freund/in**, die Freunde/Freundinnen
die

....

das **Kind**, die Kinder

....

der **Mạnn**, die Männer

....

der **Brụder**, die Brüder

....

verhe͟iratet

....

das **Họbby**, die Hobbys

....

der **Spọrt**

....

Tiere

die **Kạtze**, die Katzen

....

der **Hụnd**, die Hunde

....

Weitere Wörter

das **F<u>a</u>hrrad**, die Fahrräder

....

der **F<u>u</u>ßball**, die Fußbälle

....

das **M<u>o</u>torrad**, die Motorräder

....

das **R<u>a</u>dio**, die Radios

....

die **<u>A</u>rbeit**, die Arbeiten

....

<u>a</u>rbeiten, er arbeitet

....

b<u>ei</u>

....

ha̱ben, er hat

....

ge̱hen, er geht

....

le̱ben, er lebt

....

ke̱in, ke̱in, ke̱ine

....

ni̱cht

....

Städte und Sehenswürdigkeiten

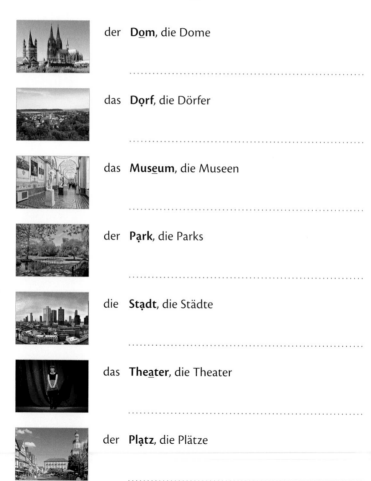

der **D<u>o</u>m**, die Dome

....

das **D<u>o</u>rf**, die Dörfer

....

das **Mus<u>eu</u>m**, die Museen

....

der **P<u>a</u>rk**, die Parks

....

die **St<u>a</u>dt**, die Städte

....

das **Th<u>ea</u>ter**, die Theater

....

der **Pl<u>a</u>tz**, die Plätze

....

der **Turm**, die Türme

....

die **Hauptstadt**, die Hauptstädte

....

die **Kultur**, die Kulturen

....

die **Nähe** (in der Nähe von ...)

....

Himmelsrichtungen

 der **Norden**

....

 der **Osten**

....

 der **Süden**

....

der **Westen**

....

von (im Westen von ...)

....

liegen (Wo liegt ...?), er liegt

....

Sagen, wie es geht

gehen (Wie geht's?), es geht

....

gut

....

Weitere Wörter

das **Studium**, die Studien

....

das **J<u>a</u>hr**, die Jahre

....

der **S<u>o</u>hn**, die Söhne

....

das **Proz<u>e</u>nt**, die Prozente

....

w<u>i</u>ssen, er weiß

....

fr<u>a</u>gen, er fragt

....

<u>a</u>ntworten, er antwortet

....

br<u>au</u>chen, er braucht

....

h<u>eu</u>te

....

schon mal

. . . .

doch

. . . .

ein bisschen

. . . .

welcher, welches, welche

. . . .

Wohnungen und Häuser beschreiben

auf dem Land

....

in der Stadt

....

die **Straße**, die Straßen

....

die **Adresse**, die Adressen

....

die **Postleitzahl (PLZ)**, die Postleitzahlen

....

die **Wohnung**, die Wohnungen

....

der **Balkon**, die Balkons

....

die **Gar<u>a</u>ge**, die Gar<u>a</u>gen

....

der **G<u>a</u>rten**, die Gärten

....

die **Terr<u>a</u>sse**, die Terrassen

....

der **Quadratmeter (qm)**, die Quadratmeter

....

der **St<u>o</u>ck**, die Stockwerke

....

das **<u>Ei</u>nfamilienhaus**, die Einfamilienhäuser

....

das **R<u>ei</u>henhaus**, die Reihenhäuser

....

der/ **N<u>a</u>chbar/in**, die Nachbarn/Nachbarinnen
die

....

nett

. . . .

zentral

. . . .

schön

. . . .

groß

. . . .

klein

. . . .

laut

. . . .

ruhig

. . . .

dunkel

. . . .

hell

....

gemütlich

....

alt

....

modern

....

billig

....

teuer

....

kosten, es kostet

....

Zimmer

das **Zimmer**, die Zimmer

das **Wohnzimmer**, die Wohnzimmer

das **Schlafzimmer**, die Schlafzimmer

schlafen, er schläft

das **Kinderzimmer**, die Kinderzimmer

die **Küche**, die Küchen

essen, er isst

kochen, er kocht

. . . .

das **Bad**, die Bäder

. . . .

baden, er badet

. . . .

die **Toilette**, die Toiletten

. . . .

der **Flur**, die Flure

. . . .

der **Keller**, die Keller

. . . .

der **Schlüssel**, die Schlüssel

. . . .

Möbel

die **Möbel** (Pl.)

der **Tisch**, die Tische

der **Schrank**, die Schränke

das **Regal**, die Regale

der **Sessel**, die Sessel

das **Sofa**, die Sofas

der **Fernseher**, die Fernseher

das **Bett**, die Betten

....

der **Spiegel**, die Spiegel

....

der **Teppich**, die Teppiche

....

die **Vase**, die Vasen

....

der **Herd**, die Herde

....

der **Kühlschrank**, die Kühlschränke

....

die **Spüle**, die Spülen

....

die **Waschmaschine**, die Waschmaschinen

....

das **Waschbecken**, die Waschbecken

. . . .

Weitere Wörter

der **Schuh**, die Schuhe

. . . .

hier

. . . .

links

. . . .

rechts

. . . .

nur

. . . .

aber

. . . .

zi_emlich

. . . .

s_ehr

. . . .

Li_ebe ..., Li_eber ... (+ Name)

. . . .

Vi_ele Grüße

. . . .

Das Jahr, der Monat, die Woche

der **Kalender**, die Kalender

....

das **Jahr**, die Jahre

....

der **Monat**, die Monate

....

die **Woche**, die Wochen

....

das **Wochenende**, die Wochenenden

....

der **Montag**, die Montage

....

der **Dienstag**, die Dienstage

....

der **Mittwoch**, die Mittwoche

....

der **Donnerstag**, die Donnerstage

....

der **Freitag**, die Freitage

....

der **Samstag**, die Samstage

....

der **Sonntag**, die Sonntage

....

der **Morgen**, die Morgen

....

morgens

....

der **Vormittag**, die Vormittage

....

12 bis 14 Uhr

der **Mittag**, die Mittage

....

14 bis 18 Uhr

der **Nachmittag**, die Nachmittage

....

18 bis 22 Uhr

der **Abend**, die Abende

....

22 bis 6 Uhr

die **Nacht**, die Nächte

....

Guten Morgen!

....

Guten Abend!

....

Uhrzeiten

halb

....

halb eins

....

das **Viertel**

....

Viertel vor zwei

....

Viertel nach acht

....

vor

....

nach

....

kurz

....

wann

....

um

....

von ... bis

....

die **Stunde**, die Stunden

....

der **Wecker**, die Wecker

....

Termine, Verabredungen

der **Termin**, die Termine

....

der/ **Arzt/Ärztin**, die Ärzte/Ärztinnen
die

....

der/ **Zahnarzt/Zahnärztin**, die Zahnärzte/
die   -ärztinnen

....

die **Prạxis**, die Praxen

....

gẹhen (gẹht es am ...?), es geht

....

pạssen, es passt

....

pụnktlich

....

trẹffen (sich), er trifft sich

....

mịtkommen, er kommt mit

....

bis spạ̈ter

....

tschụ̈ss

....

das **Café**, die Cafés

....

die **Disko**, die Diskos

....

die **Party**, die Partys

....

das **Kino**, die Kinos

....

der **Film**, die Filme

....

anfangen, er fängt an

....

beginnen, er beginnt

....

der **Zoo**, die Zoos

....

Mein Tag

aufstehen, er steht auf

....

frühstücken, er frühstückt

....

arbeiten, er arbeitet

....

Sport machen, er macht Sport

....

ins Bett gehen, er geht ins Bett

....

die **Mittagspause**, die Mittagspausen

....

anrufen, er ruft an

....

<u>au</u>sgehen, er geht aus

....

schw<u>i</u>mmen, er schwimmt

....

das **Schw<u>i</u>mmbad**, die Schwimmbäder

....

Essen

das **Fr<u>ü</u>hstück**, die Frühstücke

....

das **M<u>i</u>ttagessen**, die Mittagessen

....

das **<u>A</u>bendessen**, die Abendessen

....

Verkehr

die **Autobahn**, die Autobahnen

....

der **Stau**, die Staus

....

die **Panne**, die Pannen

....

der **Zug**, die Züge

....

die **Verspätung**, die Verspätungen

....

warten, er wartet

....

Weitere Wörter

müssen, er muss

....

leider

....

leidtun, es tut mir leid

....

gestern

....

Auf Wiederhören!

....

6 Orientierung

Verkehr

der **Verkehr**

....

der **Weg**, die Wege

....

fahren, er fährt

....

der **Bus**, die Busse

....

die **Fähre**, die Fähren

....

das **Moped**, die Mopeds

....

die **Straßenbahn**, die Straßenbahnen

....

die **U-Bahn**, die U-Bahnen

....

 zu Fuß

....

In der Bibliothek

 die **Bibliothek**, die Bibliotheken

....

die **Information**, die Informationen

....

finden, er findet

....

 die **Internetseite**, die Internetseiten

....

das **Erdgeschoss**, die Erdgeschosse

....

die **Et_age**, die Etagen

....

der **Au_sgang**, die Ausgänge

....

u_nten

....

o_ben

....

Im Büro

die **Tastat_ur**, die Tastaturen

....

der **Dru_cker**, die Drucker

....

die **M_aus**, die Mäuse

....

der **Notizblock**, die Notizblöcke

der **Ordner**, die Ordner

der **Papierkorb**, die Papierkörbe

die **Zeitung**, die Zeitungen

das **Bild**, die Bilder

die **Pflanze**, die Pflanzen

die **Wand**, die Wände

Wo?

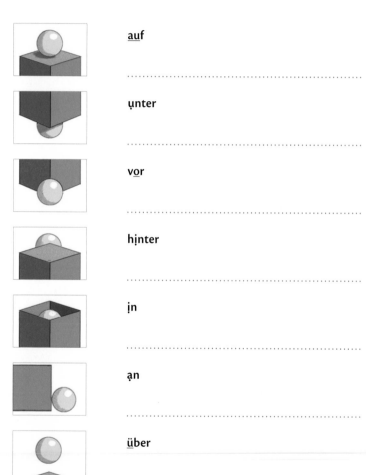

a̲uf

....

u̲nter

....

vo̲r

....

hi̲nter

....

i̲n

....

a̲n

....

ü̲ber

....

neben

....

zwischen

....

hängen, er hängt

....

liegen, er liegt

....

stehen, er steht

....

Weitere Wörter

der **Hauptbahnhof**, die Hauptbahnhöfe

....

das **Hotel**, die Hotels

....

die **Bar**, die Bars

....

der **Chef**, die Chefs

....

das **Zentrum**, die Zentren

....

heiß

....

kalt

....

Berufe

 der/ **Koch/Köchin**, die Köche/Köchinnen
die
. . . .

 der/ **Taxifahrer/in**, die Taxifahrer/innen
die
. . . .

 der/ **Friseur/in**, die Friseure, Friseurinnen
die
. . . .

 der/ **Sekretär/in**, die Sekretäre/Sekretärinnen
die
. . . .

 der/ **Florist/in**, die Floristen/Floristinnen
die
. . . .

 der/ **Ingenieur/in**, die Ingenieure/Ingenieurinnen
die
. . . .

 die **Krankenschwester**, die Krankenschwestern

. . . .

der/ **Programmi<u>e</u>rer/in**, die Programmierer/innen
die

....

der/ **Kf<u>Z</u>-Mechatroniker/in**, die KfZ-
die Mechatroniker/innen

....

der/ **Tr<u>ai</u>ner/in**, die Trainer/innen
die

....

der/ **Verk<u>äu</u>fer/in**, die Verkäufer/innen
die

....

Arbeit und Arbeitsplatz

der/ **K<u>u</u>nde/K<u>u</u>ndin**, die Kunden/Kundinnen
die

....

von Ber<u>u</u>f

....

der **J<u>o</u>b**, die Jobs

....

die **Arbeitszeit**, die Arbeitszeiten

. . . .

das **Geld**

. . . .

verdienen, er verdient

. . . .

das **Geschäft**, die Geschäfte

. . . .

die **Baustelle**, die Baustellen

. . . .

die **Werkstatt**, die Werkstätten

. . . .

die **Fabrik**, die Fabriken

. . . .

der **Friseursalon**, die Friseursalons

. . . .

 das **Kr<u>a</u>nkenhaus**, die Krankenhäuser

....

der/ **Koll<u>e</u>ge/Koll<u>e</u>gin**, die Kollegen/Kolleginnen
die

....

 die **H<u>au</u>sfrau**, die Hausfrauen

....

der **H<u>au</u>smann**, die Hausmänner

....

zu H<u>au</u>se

....

Tätigkeiten

 verk<u>au</u>fen, er verkauft

....

ber<u>a</u>ten, er berät

....

telefonieren, er telefoniert

....

das **Haar**, die Haare

....

schneiden, er schneidet

....

die **Heizung**, die Heizungen

....

reparieren, er repariert

....

der/ **Patient/in**, die Patienten/Patientinnen
die

....

untersuchen, er untersucht

....

der/ **Schüler/in**, die Schüler/innen
die

....

unterrịchten, er unterrichtet

. . . .

korrigi̱eren, er korrigiert

. . . .

kontrolli̱eren, er kontrolliert

. . . .

das **Tịcket**, die Tickets

. . . .

reservi̱eren, er reserviert

. . . .

brịngen, er bringt

. . . .

ạbholen, er holt ab

. . . .

traini̱eren, er trainiert

. . . .

informieren, er informiert

....

organisieren, er organisiert

....

planen, er plant

....

Wie oft?

immer

....

oft

....

manchmal

....

nie

....

Weitere Wörter

die **Fremdsprache**, die Fremdsprachen

....

das **Ausland**

....

der **Kindergarten**, die Kindergärten

....

das **Taxi**, die Taxen

....

die **Hand**, die Hände

....

der **Mensch**, die Menschen

....

das **Tier**, die Tiere

....

die **Tọchter**, die Töchter

....

kọnnen, er kann

....

mụssen, er muss

....

kẹnnen, er kennt

....

fẹrnsehen, er sieht fern

....

lạng

....

kụrz

....

kapụtt

....

Tourismus

die **Touristeninformation**, die Touristeninformationen

die **Sehenswürdigkeit**, die Sehenswürdigkeiten

die **Gruppe**, die Gruppen

der/ **Teilnehmer/in**, die Teilnehmer/innen
die

besichtigen, er besichtigt

besuchen, er besucht

der **Besuch**, die Besuche

der **Stadtplan**, die Stadtpläne

....

die **Stadtrundfahrt**, die Stadtrundfahrten

....

der **Spaziergang**, die Spaziergänge

....

kennenlernen, er lernt kennen

....

die **Kamera**, die Kameras

....

fotografieren, er fotografiert

....

die **Kirche**, die Kirchen

....

die **Brücke**, die Brücken

....

das **Geschenk**, die Geschenke

....

einkaufen, er kauft ein

....

die **Ankunft**, die Ankünfte

....

die **Abfahrt**, die Abfahrten

....

die **Rückfahrt**, die Rückfahrten

....

gefallen, er gefällt

....

toll

....

super

....

In der Stadt

l<u>au</u>fen, er läuft

....

gerad<u>eau</u>s

....

<u>a</u>n ... vorb<u>ei</u>

....

w<u>ei</u>t

....

die **L<u>i</u>nie**, die Linien

....

die **H<u>a</u>ltestelle**, die Haltestellen

....

die **<u>A</u>mpel**, die Ampeln

....

die **Richtung**, die Richtungen

. . . .

die **Kreuzung**, die Kreuzungen

. . . .

die **Fußgängerzone**, die Fußgängerzonen

. . . .

die **Sprachschule**, die Sprachschulen

. . . .

unterwegs

. . . .

Weitere Wörter

wollen, er will

. . . .

feiern, er feiert

. . . .

sportlich

. . . .

voll

. . . .

wieder

. . . .

genau

. . . .

zuerst

. . . .

dann

. . . .

danach

. . . .

Urlaub und Ferien

der **Urlaub**, die Urlaube

....

die **Ferien** (Pl.)

....

der **Berg**, die Berge

....

der **Wald**, die Wälder

....

der **Fluss**, die Flüsse

....

der **See**, die Seen

....

das **Meer**, die Meere

....

die **S<u>ee</u>**, die Seen (die Nordsee, die Ostsee)

....

der **Str<u>a</u>nd**, die Strände

....

die **<u>I</u>nsel**, die Inseln

....

der **H<u>a</u>fen**, die Häfen

....

<u>a</u>nschauen, er schaut an, er hat angeschaut

....

err<u>ei</u>chen, er erreicht, er hat erreicht

....

der **Kilom<u>e</u>ter (km)**, die Kilometer

....

das **Z<u>ie</u>l**, die Ziele

....

weiterfahren, er fährt weiter,
er ist weitergefahren

. . . .

das **Wetter**

. . . .

der **Regen**, die Regen

. . . .

die **Sonne**, die Sonnen

. . . .

das **Ostern**

. . . .

spazieren gehen, er geht spazieren, er ist
spazieren gegangen

. . . .

wandern, er wandert, er ist gewandert

. . . .

der **Ort**, die Orte

. . . .

übernạchten, er übernachtet, er hat
übernachtet

. . . .

blẹiben, er bleibt, er ist geblieben

. . . .

der **Rẹiseführer**, die Reiseführer

. . . .

willkọmmen

. . . .

tọll

. . . .

prịma

. . . .

lạngweilig

. . . .

schlẹcht

. . . .

JAHRESKALENDER

Monate

 der **Januar**

....

 der **Februar**

....

 der **März**

....

 der **April**

....

 der **Mai**

....

 der **Juni**

....

 der **J̲u̲li**

 der **Augu̲st**

 der **Septe̲mber**

 der **Okto̲ber**

 der **Nove̲mber**

 der **Deze̲mber**

Jahreszeiten

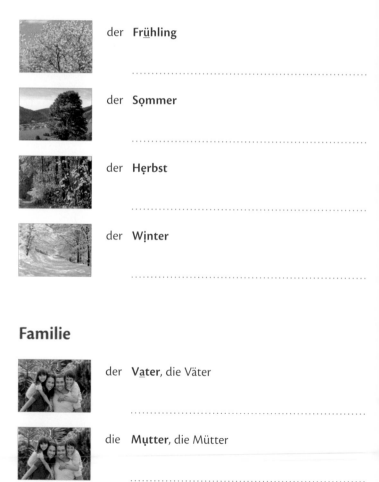

der **Frühling**

....

der **Sommer**

....

der **Herbst**

....

der **Winter**

....

Familie

der **Vater**, die Väter

....

die **Mutter**, die Mütter

....

die **Tạnte**, die Tanten

. . . .

die **Geschwịster** (Pl.)

. . . .

der **Brụder**, die Brüder

. . . .

die **Schwẹster**, die Schwestern

. . . .

Weitere Wörter

der **Ụnfall**, die Unfälle

. . . .

passịeren, es passiert, es ist passiert

. . . .

fạllen, er fällt, er ist gefallen

. . . .

verlieren, er verliert, er hat verloren

. . . .

schaffen, er schafft, er hat geschafft

. . . .

plötzlich

. . . .

der **Ball**, die Bälle

. . . .

müde

. . . .

fast

. . . .

vormittags

. . . .

mittags

. . . .

Milchprodukte

die **Butter**, die Butter

....

das **Ei**, die Eier

....

der/ **Joghurt**, die Joghurts
das

....

der **Käse**

....

Gemüse

das **Gemüse**

....

die **Gurke**, die Gurken

....

die **Paprika**, die Paprikas

die **Möhre**, die Möhren

die **Tomate**, die Tomaten

die **Zwiebel**, die Zwiebeln

der **Salat**, die Salate

die **Kartoffel**, die Kartoffeln

Obst

das **Obst**

der **Ạpfel**, die Äpfel

....

 die **Bịrne**, die Birnen

....

 die **Orạnge**, die Orangen

....

 die **Banạne**, die Bananen

....

 die **Ẹrdbeere**, die Erdbeeren

....

Fleisch und Wurst

 das **Flẹisch**

....

 das **Hạ̈hnchen**, die Hähnchen

....

das **Schnitzel**, die Schnitzel

....

 die **Wurst**, die Würste

....

 der **Schinken**, die Schinken

....

 die **Salami**, die Salamis

....

 die **Bratwurst**, die Bratwürste

....

Süßes

 der **Kuchen**, die Kuchen

....

 die **Schokolade**, die Schokoladen

....

die **Marmel<u>a</u>de**, die Marmeladen

....

 das **<u>Ei</u>s**

....

 die **S<u>a</u>hne**, die Sahnen

....

Weitere Lebensmittel

das **L<u>e</u>bensmittel**, die Lebensmittel

....

 das **Br<u>o</u>t**, die Brote

....

 das **W<u>ei</u>ßbrot**, die Weißbrote

....

 die **N<u>u</u>del**, die Nudeln

....

die **Spaghętti** (Pl.)

....

der **Rẹis**

....

der **Fịsch**, die Fische

....

das **Mü̱sli**

....

der/ **Kętchup**, die Ketchups
das

....

die **Pọmmes (frites)** (Pl.)

....

die **Tomątensoße**, die Tomatensoßen

....

das **Sau̱erkraut**

....

Gewürze

der **Pfeffer**

....

das **Salz**

....

Gewichte, Verpackungen

der **Liter**, die Liter

....

das **Gramm**

....

das **Kilogramm (Kilo, kg)**

....

das **Pfund**

....

die **Flasche**, die Flaschen

....

 die **Tüte**, die Tüten

....

 die **Dose**, die Dosen

....

 das **Glas**, die Gläser

....

das **Stück**, die Stücke

....

Einkaufen

 der **Einkaufszettel**, die Einkaufszettel

....

 der/ **Bäcker/in**, die Bäcker/innen
die

....

die **Fleischer<u>ei</u>**, die Fleischereien

....

w<u>ü</u>nschen, er wünscht, er hat gewünscht

....

ich h<u>ä</u>tte gern

....

Über Essen sprechen

schm<u>e</u>cken, er schmeckt, er hat geschmeckt

....

mögen, er mag, er mochte

....

s<u>ü</u>ß

....

veget<u>a</u>risch

....

am besten

. . . .

am liebsten

. . . .

besser (als)

. . . .

das **Rezept**, die Rezepte

. . . .

das **Gericht**, die Gerichte

. . . .

gesund

. . . .

gar nicht

. . . .

Guten Appetit!

. . . .

Kleidung

die **Kl<u>ei</u>dung**

....

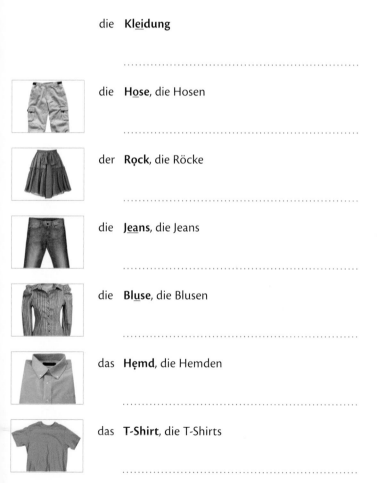

die **H<u>o</u>se**, die Hosen

....

der **R<u>o</u>ck**, die Röcke

....

die **J<u>ea</u>ns**, die Jeans

....

die **Bl<u>u</u>se**, die Blusen

....

das **H<u>e</u>md**, die Hemden

....

das **T-Shirt**, die T-Shirts

....

der **Pullover**, die Pullover

....

das **Kleid**, die Kleider

....

die **Jacke**, die Jacken

....

der **Mantel**, die Mäntel

....

der **Anzug**, die Anzüge

....

der **Hut**, die Hüte

....

der **Stiefel**, die Stiefel

....

die **Mode**, die Moden

....

die **Größe**, die Größen

....

die **Marke**, die Marken

....

tragen, er trägt, er hat getragen

....

anziehen, er zieht an, er hat angezogen

....

stehen (etw. steht mir), es steht, es hat gestanden

....

die **Umkleidekabine**, die Umkleidekabinen

....

anprobieren, er probiert an, er hat anprobiert

....

schick

....

hässlich

....

eng

....

Farben

die **Farbe**, die Farben

....

r<u>o</u>t

....

bl<u>au</u>

....

gr<u>ü</u>n

....

wei<u>ß</u>

....

gelb

....

schwarz

....

braun

....

grau

....

orange

....

rosa

....

lila

....

hellblau

....

dunkelblau

....

 bunt

....

Wetter

die **Hitze**

....

die **Kälte**

....

 sonnig

....

 die **Wolke**, die Wolken

....

 bewölkt

....

der **Wind**, die Winde

....

windig

....

der **Schnee**

....

schneien, es schneit, es hat geschneit

....

der **Nebel**

....

neblig

....

regnen, es regnet, es hat geregnet

....

der **Himmel**, die Himmel

....

Weitere Wörter

der **B<u>au</u>m**, die Bäume

....

das **Gr<u>a</u>s**, die Gräser

....

die **L<u>ie</u>be**, die Lieben

....

die **J<u>a</u>hreszeit**, die Jahreszeiten

....

der/ **Sp<u>ie</u>ler/in**, die Spieler/innen
die

....

h<u>o</u>ffen, er hofft, er hat gehofft

....

r<u>i</u>chtig

....

bestimmt

....

egal

....

normal

....

welcher, welches, welche

....

dieser, dieses, diese

....

Körperteile

der **Körper**, die Körper

der **Kopf**, die Köpfe

das **Auge**, die Augen

die **Nase**, die Nasen

der **Mund**, die Münder

das **Ohr**, die Ohren

der **Hals**, die Hälse

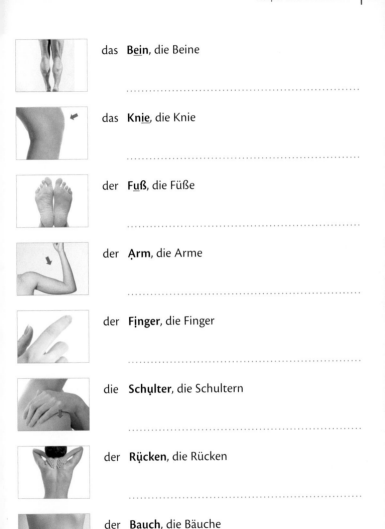

das **B<u>ei</u>n**, die Beine

....

das **Kn<u>ie</u>**, die Knie

....

der **F<u>uß</u>**, die Füße

....

der **A̧rm**, die Arme

....

der **F<u>i</u>nger**, die Finger

....

die **Sch<u>u</u>lter**, die Schultern

....

der **R<u>ü</u>cken**, die Rücken

....

der **B<u>au</u>ch**, die Bäuche

....

das **Herz**, die Herzen

....

Beim Arzt

der **Termin**, die Termine

....

die **Arztpraxis**, die Arztpraxen

....

der/ **Hausarzt/Hausärztin**, die Hausärzte/
die Hausärztinnen

....

der **Schmerz**, die Schmerzen

....

die **Kopfschmerzen** (Pl.)

....

die **Magenschmerzen** (Pl.)

....

wehtun, es tut weh, es hat wehgetan

. . . .

krank

. . . .

die **Krankheit**, die Krankheiten

. . . .

gesund

. . . .

die **Gesundheit**

. . . .

fühlen (sich), er fühlt sich, er hat sich gefühlt

. . . .

der **Schnupfen**

. . . .

der **Husten**

. . . .

husten, er hustet, er hat gehustet

....

die **Erkältung**, die Erkältungen

....

das **Fieber**

....

der **Stress**

....

das **Rezept**, die Rezepte

....

das **Medikament**, die Medikamente

....

die **Tablette**, die Tabletten

....

die **Apotheke**, die Apotheken

....

die **Krankenversicherung**, die
Krankenversicherungen

....

dürfen, er darf, er durfte

....

Gute Besserung!

....

Weitere Wörter

Ski fahren, er fährt Ski, er ist Ski gefahren

....

tanzen, er tanzt, er hat getanzt

....

lachen, er lacht, er hat gelacht

....

dick

....

natürlich

....

rauchen, er raucht, er hat geraucht

....

die **Zigarette**, die Zigaretten

....

der/ **Nichtraucher/in**, die Nichtraucher/innen
die

....

das **Training**, die Trainings

....

die **Idee**, die Ideen

....

zweimal

....

dreimal

....

Meine Wörter

....

....

....

....

....

....

....

....

....

....

....

....

....

....

....

....

....

....

....

....

....

....

....

....

....

....

....

....

....

....

....

....

....

....

....

....

....

....

....

....

....

....

....

....

....

....

....

....

....

....

Bildquellenverzeichnis

Cover Robert Nadolny, Grafikdesign – **S.4** Fotolia, olly; Fotolia, You can more; Fotolia, Tian; Fotolia, Stefan Rajewski; Fotolia, jeancliclac; Fotolia, M. Schuppich – **S.5** Fotolia, Pattschull; Fotolia, pixel974; Shutterstock, Yildrim; Shutterstock, mihas; Fotolia, Eisenhans; Fotolia, Buehner; Shutterstock, Maridav; Fotolia, 2012 myfreizeit.de – **S.6** Fotolia, StepStock – **S.7** Fotolia, lerich; Fotolia, Arcurs; Fotolia – **S.8** Shutterstock, wavebreakmedia; Shutterstock, Valua Vitaly; Shutterstock, Tatyana Vyc – **S.9** Fotolia, Pergande; Fotolia, Pergande; Fotolia, Pergande – **S.10** Fotolia, Arochau; Shutterstock, Mainka – **S.11** Fotolia, MAK; Shutterstock, Gevaert; Fotolia, Moiseeva; Fotolia, Cut; Fotolia, Iosif Szasz-Fabian – **S.12** Shutterstock, Shebeko; Shutterstock, Apples Eyes Studio; Shutterstock, Hempel; Fotolia, seen; Shutterstock, Christou; Fotolia, digieye; Fotolia, Teamarbeit – **S.13** Fotolia, Beck; Fotolia, Menzl; Fotolia, dkimages; Fotolia, Rovagnati – **S.15** Fotolia, Borkowski – **S.16** Fotolia, yeehaaa – **S.19** Fotolia, Mani35 – **S.20** Cornelsen Schulverlage, Hugo Herold; Fotolia, Afanasyeva; Shutterstock, DJ Srki; Fotolia, zmajdoo; Fotolia, seen; Fotolia, endrille – **S.21** Fotolia, Sargeant; Fotolia, photoGrapHie; Fotolia, Díaz; Fotolia, al62; Shutterstock, Irina Nartova; Fotolia, Kosmal; Fotolia, PhotoMan; Fotolia, Blacklock – **S.22** Shutterstock, rzymuR; Shutterstock, Phase4Photography; Fotolia, Andreas F.; Fotolia, Kramografie; Fotolia, Digitalpress; Fotolia, Menzl; Shutterstock, Baloncici; Fotolia, Figge – **S.23** Fotolia, contrastwerkstatt; Fotolia, Chabraszewski – **S.24** Fotolia, Schuppich – **S.25** Fotolia, beermedia – **S.26** Fotolia, Nikolaev; Fotolia, athomass – **S.27** Shutterstock, Nadino; Fotolia, MAK; Fotolia, fotowebbox; Fotolia, Isselée – **S.28** Shutterstock, aodaodaodaod; Fotolia, kiono; Fotolia, Alx; Fotolia, brat82 – **S.30** Fotolia, Feldhaus; Shutterstock, Hackemann; Fotolia, JackF; Fotolia, BildPix.de; Fotolia, Reimer; Fotolia, papa; Fotolia, BildPix.de – **S.35** Fotolia, Laiotz; Fotolia, Reimer; Fotolia, Paylessimages; Fotolia, Flexmedia – **S.36** Fotolia, tomispin; Fotolia, Tzur; Fotolia, GordonGrand; Fotolia, Figge; Fotolia, Kara – **S.39** Shutterstock, epstock – **S.40** Fotolia, Jörg Lantelme; Shutterstock, Kalinina Alisa; Fotolia, Africa Studio; Fotolia, m-buehner; Fotolia, BG; Fotolia, SyB – **S.41** Fotolia, Stockcity; Fotolia, ChinKS; Shutterstock, sevenke; Fotolia, Werner Fellner; Fotolia, by-studio; Shutterstock, Vladru – **S.42** Fotolia, AR; Fotolia, Stockcity; Shutterstock, LeshaBu; Shutterstock, lasha; Shutterstock, OZaiachin; Fotolia, Romero; Fotolia, SyB; Fotolia, fotokalle – **S.43** Fotolia, Menzl; Fotolia, RRF – **S.45** Fotolia, Canakris – **S.49** Fotolia, iofoto; Fotolia, 5AM Images; Fotolia – **S.51** Fotolia, soundsnaps; Fotolia, Arcurs; Fotolia, yanlev; Fotolia, Szelepcsenyi; Coulorbox; Fotolia – **S.52** Fotolia, creative studio – **S.53** Shutterstock, Andresr; Fotolia, BirgitMundtOsterwiec; Fotolia, foodinaire; Fotolia, Gerhard Seybert; Fotolia, Quade – **S.54** Fotolia, Wandruschka; Picture Alliance; Fotolia, shot99; Deutsche Bahn AG – **S.56** Shutterstock, Krivosheev Vitaly; Fotolia, Michael Schütze; Fotolia, Sigtrix; Fotolia, AustralianDream – **S.57** Fotolia, philipus; Shutterstock, connel; Shutterstock, Pressmaster; Shutterstock, Kaspri – **S.58** Cornelsen Schulverlage GmbH, Schulz – **S.59** Cornelsen Schulverlage GmbH, Schulz; Cornelsen Schulverlage GmbH, Schulz; Shutterstock, Siro; Cornelsen Schulverlage GmbH, Schulz; Cornelsen Schulverlage GmbH, Schulz; Fotolia, golch; Cornelsen Schulverlage GmbH, Schulz – **S.61** Fotolia, kameraauge; Fotolia, Jackson – **S.62** Fotolia, rütten – **S.63** Fotolia, Tyler Olson; Fotolia, Dron; Corbis GmbH, Ocean; Fotolia, Milan Markovic; Fotolia, Kzenon; Fotolia, ArtmannWitte; Fotolia, Arcurs – **S.64** Shutterstock, Edw; Fotolia, eyeami; Fotolia, contrastwerkstatt; Fotolia, contrastwerkstatt – **S.65** Fotolia, martineau; Shutterstock, Kokhanchikov; Shutterstock, Pavel L; Fotolia, ABC.pics; Shutterstock, Komogorov – **S.66** Fotolia, letschert; Fotolia, contrastwerkstatt – **S.67** Corbis GmbH, Ocean; Shutterstock, Miramiska; Corbis GmbH, Ocean; Fotolia, seen; Fotolia, Bialasiewicz; Fotolia, ISO K°-photography; Fotolia, Schwier – **S.68** Shutterstock, Feketa; Fotolia, euthymia; Shutterstock, holbox – **S.70** Fotolia, Losevsky; Fotolia, Dron; Fotolia, Redel; Fotolia, Isselée – **S.71** Colourbox – **S.72** Fotolia, vom; Fotolia, Christian Schwier – **S.73** Fotolia, Light Impression; Fotolia, stockphoto-graf; Shutterstock, Iakov Filimonov; Fotolia, LianeM; Fotolia, line-of-sight – **S.74** Fotolia, karandaev – **S.75** Fotolia, dp@pic; Fotolia, philipus; Fotolia, Krumm; Fotolia, Gosch – **S.76** Fotolia, Poromov; Fotolia, Franz Pfluegl; Fotolia, K.- P. Adler – **S.78** Fotolia, Helminger; Fotolia, Tokarski; Fotolia, felinda; Fotolia, VRD; Fotolia, Hirte – **S.79** Fotolia, Baer; Fotolia, popeyeka; Fotolia, LORENZ – **S.80** Fotolia, Miredi; Fotolia, sonne fleckl; Fotolia, Barskaya; Fotolia, ARochau – **S.81** Fotolia, Schmitt; Fotolia, dp@pic – **S.83** Fotolia, emeraldphoto; Fotolia, Massink; Fotolia, Tokarski; Fotolia, Katzlinger – **S.84** Fotolia, emeraldphoto; Fotolia, Massink; Fotolia, Tokarski; Fotolia, Katzlinger; Shutterstock, wavebreakmedia – **S.85** Shutterstock, wavebreakmedia – **S.86** Shutterstock, dispicture – **S.87** Fotolia, seite3; Fotolia, StockPhotosArt; Fotolia, ExQuisine; Fotolia; Fotolia, Werg – **S.88** Fotolia, Yasonya; Shutterstock, Zijlstra; Fotolia, AK-DigiArt; Fotolia, Tomboy2290; Fotolia, fredredhat; Shutterstock, Zidar – **S.89** Fotolia, atoss; Fotolia, Tomboy2290; Fotolia, rdnzl; Shutterstock, Picsfive; Fotolia, Kolodziej; Fotolia, Teamarbeit; Fotolia, rdnzl – **S.90** Fotolia, Pfluegl; Fotolia, Jung; Fotolia, Zemgaliete; Fotolia, Schenk; Shutterstock, Herreid; Fotolia, Lohrbach;